**RATUS POCHE**

COLLECTION DIRIGÉE PAR JEANINE ET JEAN GUION

# Ratus à l'école
# du cirque

D0104925

# Les aventures du rat vert

© Hatier Paris 2003, ISSN 1259 4652, ISBN 978-2-218-74418-1

# Ratus à l'école du cirque

Une histoire de Jeanine et Jean Guion
illustrée par Olivier Vogel

HATIER
Jeunesse

École du Cirque

Belo

le professeur du cirque

Les personnages de l'histoire

Pour les vacances, Ratus, Marou et Mina sont inscrits à l'école du cirque. Belo dit au professeur :

– Surveillez bien Ratus. C'est un bon petit, mais il est polisson. Avec les fauves, on ne sait jamais. Un accident est vite arrivé.

– Pas de problème ! répond le professeur. J'ai dressé des chiens et des éléphants. J'ai dompté des lions et des tigres. Je dresserai bien un rat vert !

1

2

3

*Quel animal Ratus doit-il dresser ?*

Le premier jour, le professeur annonce :

– On va commencer par un numéro simple : on va dresser le chien des clowns. 4

– Facile ! dit Ratus en mâchouillant 5 du fromage. Moi, j'en ai déjà dressé un. Et un gros ! Il s'appelle Victor.

– Puisque tu es si malin, dit le professeur, vas-y. Dresse ce chien.

– Euh… fait Ratus en regardant le caniche qui est assis sur son derrière.

Dans l'histoire, qui est idiot
d'après Ratus ?

– Couché ! crie le rat vert.

Et le chien fait le beau.

– Assis ! crie encore Ratus.

Et le chien se couche !

Marou et Mina éclatent de rire.

– Il fait tout à l'envers, dit Ratus. Il est idiot, ce caniche !

Ratus n'aurait pas dû dire ça. Le chien se précipite sur lui et le pauvre rat vert se sauve à toutes jambes.

– Au secours ! Il veut me mordre !

Le professeur crie au chien :

– Attrape-le !

*Que fait le caniche quand on lui dit de sauter ?*

Ratus s'affole et court dans tous les sens. Le caniche, lui, revient au pied de son maître.

– Saute ! dit le maître.

Et le chien se couche !

– Nous sommes dans un cirque, explique le professeur. Ce chien est dressé pour faire le contraire de ce qu'on lui dit. Cela amuse les spectateurs.

7

– Pas moi, grogne Ratus. J'ai eu une de ces peurs !

*Qui va recevoir un coup de balancier ?*

L'après-midi, il faut apprendre à marcher sur un fil. Mina avance lentement, en s'aidant d'un balancier. 8

C'est maintenant au tour de Ratus. Pour ne pas tomber, il remue le balancier comme les ailes d'un moulin. Tout le monde se jette à plat ventre, sauf le professeur.

– Descends de ce fil ! crie-t-il.

Trop tard. Il aurait dû se baisser. Il reçoit un coup de balancier sur la tête et en voit trente-six chandelles. 9

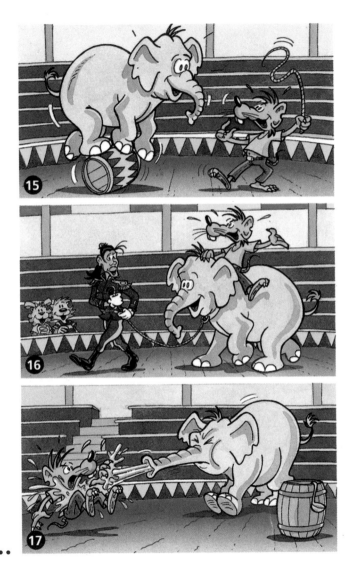

*Que se passe-t-il dans l'histoire ?*

Le lendemain, le professeur a une grosse bosse.

– Ce matin, on va dresser Trompy, annonce-t-il.

Un petit éléphant s'avance sur la piste.

– Il est gentil, ajoute le professeur, mais il n'aime pas les souris, ni les rats, surtout ceux qui font des bosses aux autres !

L'éléphant regarde la bosse de son maître, puis Ratus. Il plonge sa trompe dans un tonneau plein d'eau et recrache tout sur le rat vert.

Qui va recevoir un coup de trompe ?

Furieux, Ratus saisit la trompe de l'éléphant et souffle dedans de toutes ses forces.

Le petit éléphant prend peur. Il balance sa trompe à droite, à gauche… Jamais un rat ne lui avait fait ça ! Marou et Mina se sauvent. Le professeur essaie de calmer son éléphant. Hélas, il reçoit un coup de trompe sur le nez et tombe.

Trompy ne comprend pas. Il regarde son maître, puis s'en va tout triste. Ratus en profite pour jeter un seau d'eau sur le professeur.

— Ça va lui faire du bien, dit-il.

Qu'est-ce que Ratus veut donner
au lion et au tigre ?

Ratus est puni. Pendant deux jours, il doit nettoyer la ménagerie. 10 En le voyant arriver, le tigre propose au vieux lion de se partager le rat vert au déjeuner :

– Je mange le haut, tu manges le bas. D'accord ?

– Euh… fait Ratus, attendez. Je vais vous chercher de la viande.

Et il vide tous les frigos du cirque pour nourrir les fauves.

– T'es sympa, dit le tigre en dévorant un gigot d'agneau. 11

– C'est bon, mais c'est froid, dit le lion qui a un peu mal aux dents.

D'après le professeur, que doit faire Ratus ?

Quand Ratus revient à l'école du cirque, le professeur l'attend de pied ferme.

— Toi qui es si malin, dit-il, je vais te calmer.

Et il fait dresser la cage des fauves sur la piste.

— Entre là-dedans, si tu as du courage.

— D'accord, dit Ratus en ouvrant la porte grillagée. Pas de problème, j'y vais.

Et il referme la cage derrière lui.

— Ratus ! crie Mina. T'es fou, c'est dangereux !

12

Que se passe-t-il dans la cage
des fauves ?

Le professeur n'aurait jamais cru que le rat vert entrerait dans la cage des fauves. Il voulait juste lui faire peur.

– Salut, dit Ratus au vieux lion. Tes dents, ça va mieux ?

– Couci, couça, répond le fauve.

– Et toi ? demande-t-il au tigre. Tu reprends des forces ?

Et le tigre lèche l'oreille de Ratus en ronronnant.

Tous les élèves applaudissent.

– Comment fais-tu ? demande le professeur.

– Facile, répond Ratus. Je sais parler aux fauves, moi !

Le jour du spectacle, qui fait
travailler les fauves ?

Une semaine plus tard, l'école du cirque donne un grand spectacle. Et devinez qui fait travailler le vieux lion et le tigre ? C'est Ratus !

– Je t'aime bien, dit le tigre à voix basse. Mais j'ai quand même envie de te manger.

– Tu ne peux pas, répond Ratus. Je t'ai déjà dit que je ne suis pas bon. J'ai le goût du fromage !

– Dommage ! soupire le tigre en retournant sur son tabouret.

Et tous les spectateurs applaudissent Ratus. Jamais ils n'avaient vu de fauves aussi obéissants.

**1**
**surveillez**
(*sur-vé-ié*)

**2**
les **fauves**
Animaux sauvages
comme le lion, le
tigre, le léopard.

**3**
j'ai **dompté**
(*don-té*)
J'ai fait obéir.

**4**
des **clowns**
(*clou-n*)

**5**
en **mâchouillant**
(*ma-chou-ian*)
Ratus mâche
le fromage,
sans l'avaler.

**6**
il **fait le beau**

**7**
les **spectateurs**
(*s.pèc-ta-teur*)
Les personnes
qui regardent
un spectacle.

## 8

un **balancier**
Un long bâton
qui aide à ne pas
tomber quand
on marche sur
une corde.

## 9

il **voit trente-six
chandelles**

## 10

**nettoyer**
(*né-toi-ié*)

la **ménagerie**
L'endroit où on
garde les animaux
du cirque.

## 11

un **gigot**

## 12

de **pied ferme**
Le professeur
est sûr de lui.

## 13

**couci, couça**
Ni bien, ni mal.

**29**

# Les aventures du rat vert

# Super-Mamie et la forêt interdite